Marion Poschmann
Nimbus

Gedichte

Suhrkamp

2. Auflage 2020

Erste Auflage 2020
© Suhrkamp Verlag Berlin 2020
Satz: Satz-Offizin Hümmer GmbH, Waldbüttelbrunn
Druck: GGP Media GmbH, Pößneck
Printed in Germany
ISBN 978-3-518-42924-2

*Langsam wandelt
die schwarze Wolke.*
Friedrich Gottlieb Klopstock

Sibirischer Tierstil

Vielgestaltig ist das Ungeheure,
und nichts ist ungeheurer als der Mensch.
Sophokles, Antigone

Und hegte Schnee in meinen warmen Händen

Noch gestern hielt ich mich in tiefverschneiten
Bergen auf. Jetzt sind sie eingeebnet,
aufgelöst, ganz schlicht, so wie man einen
Kühlschrank abtaut. Ich sah Wasser rinnen,
sah das Eis in Brocken von den Wänden
brechen, alles fiel zu Tal und wurde
flüssig, wurde Tal und wurde nichts.

Noch gestern betete ich Berge an.
Ich kaufte Ansichtskarten, schickte sie
an mich, nach Hause, zur Erinnerung
an das Zerstörungswerk, das ich hier tat,
ich taute Grönland auf mit meinem Blick,
ich schmolz die Gletscher, während ich sie voll
der Andacht überflog. Dem Wunsch ist nichts

unmöglich, heißt es doch, und wo ein Wille
ist, da ist ein Weg, die dünne Luft noch
dienstbar sich zu machen, das Ungeheure,
Ungeheuerlichste zu bezwingen,
ganz leicht, als schliefe man in seinem Sessel
und träumte nur von einem langen Flug.

Während der Wald wieder wichtiger wird

Letztens entnahm man noch Haushaltseis
aus der zwiebligen Durchsichtigkeit verdichteten
Firns, der sich voranschiebt Meter für Meter
durch die Jahrtausende, Saalekaltzeit,
Birkenpollen und Sauergräser in tieferen
Schichten, im Eisbohrkern konserviert.

Ich machte mich mit den Mächten, Gewalten
gemein, ich streckte meine unendliche Zunge,
Gletscherzunge, Gorgonenzunge, leckte an
Landeisschilden, fraß Treibeis, Packeis,
trug lichtblaue Sterne und scharfkantige Kristalle
im Mund, und ich redete in stetigen Flocken,

Frostsprache, Zungenrede des Schnees
ließ Bilder verharschen, verschimmern, öffnete
Flüsterspalten, in die alles hineinstürzt, was
übermüdet wandert, kleine Einfälle, Mammute,
Birkenwälder, mit Gletschermilch groß geworden,
jetzt formlose Gegenstände aus Schnee,

aus viel Schnee, noch mehr Schnee, Schneefall
und Toteis und groß über alle Vergleichung,
so daß jede Schätzung scheitert.

Ich war nackt wie ein Gletscher, ich stand auf den
Eisbalkonen, verkündete Schneemächtigkeit,
die Auflast weiterer Massen, aus meinem
Rachen trat Dampf, alle gezählten
Sterne über mir ausgehaucht, alle
moralischen Zitzen unter mir ausgesaugt,

ich streckte die Zunge, Abwehrzunge heraus
und sah ins Unendliche, sah ins beständige
Schneewehen, welches für jene ein Abgrund ist.

Die Top-Eis- und Schneefestivals der nördlichen Hemisphäre

1 Harbin, China

Wie einer eine Gabel
              auf seinem Tellerrand ablegt,
weitet der Wind den Raum,
              schleift die Steppe zu Staub, läßt die Ströme
stocken: die Temperaturdepression
              friert Bildenergien,
im Wasser gespeichert, Gespiegeltes, flüchtig Gesehenes
                                                ein –

Bewegungen – schockgefrostet,
                      in trübe Blöcke gebannt,
in graues Flußeis mit weißer
              Behauchung: Kältebausteine,
ohne Bearbeitungsspuren,
              mit Handschuhen angefaßt,
mit Wasser zusammengespachtelt, das allzu rasch hart wird,
                                                glashart.

Ein langsames Tasten, Testen und Glätten –
                      so mauern sie windige,
ambivalente Städte mit halbtransparenten
                                Wänden,
Kaiserpaläste und Hofdamenschlösser
                      aus großen Gefühlen,
wie Eislaternen,
              mit einem flackernden Licht im Innern.

2 Krasnojarsk, Sibirien

Die Schalen des Zorns wieder aufgefüllt,
                ins Eisfach geschoben und
dann die Figuren vorsichtig ausgelöst:
                    Mosbacher Löwe,
Höhlenbär, Säbelzahntiger –
           Eismumien, mit Quellwasser
abgeschmirgelt zu schimmernden Tiergeistern,
                 beinahe durchsichtig,

fast kristallin. Die polierten Bäuche
                 Wahrsagekugeln
der Weite, die Hintergründiges zeigen
              mit leichter Verzerrung,
Leerstellen.
Wind geht durch unvollständiges Gelände,
der Wind verwischt Grenzen. Schnee
           weht gegen Flanken, bleibt kleben.

Steppenwisente wandern
        mit Schneehauben auf ihren Rücken
entlang einer Gleichgewichtslinie,
             Riesenhirsche tragen
ihre enormen Geweihe
         durch Zehrgebiete zwischen
den Zeiten, äsen dort, fressen die Kälte,
              selbst nichts als Frost.

3 Manjur, Innere Mongolei

Die Landschaft in Teile zersägen.
          Dem Eis bei der Arbeit zusehen:
antauen, schmelzen und wieder fest werden,
                    reißen und brechen.
Herden von Pferden herausfräsen,
          Kruppen wie Hügelkuppen und
Schweife wie der Altai,
          also gläserne, in der Bewegung

gebremste Berge herstellen,
          neben den Rentierleibern,
mit Hammer und Meißel geschlagen
          aus vollkommen klaren Quadern.
Dieses Detail wurde nachträglich angesetzt.
                    Für ein Geweih
ziemlich bescheiden. Zwei kurze Stangen,
                    einmal verzweigt.

Räume ins Schlingern bringen.
          Den Schnee zu Figuren fügen,
grün illuminiert von verirrtem Polarlicht,
                    spektralblau, magenta.
Am Himmel treiben Hund, Affe, Hahn,
                    treiben Ratte und Drache,
wirbelnde Jahre
          treiben in Roerich-Farben dahin.

Kurgankultur

Minusinsk, hieß es, Minusbetrachtungen,
hinten in Rußland das Licht von
gefrorenen Tieren und wie es die Höhlen
von innen bescheint,

schimmernde Panzer um einzelne
Roßhaarballen, Gewölle, Matratzen
aus Stroh, die in der Erinnerung auftauchen,
auftauen, Fetische aus den Minusgraden

der Grabanlage, die Schädelbecher
wieder zum Leben erweckt
und modrige Felle
in einem Bademantel aus Eis.

Was überdauert: das Licht von vergoldeten
Tieren, Cerviden, zusammengerollt,
den Kopf in die eigenen Hufe verbissen und
endlos rotierend im Sonnenzauber Sibiriens.

Über die Hügel

Pumaflügel im Rücken,
so ritt ich
durch helle, durch dunkle Taiga und tiefer
hinein in den trübgewordenen Firnis
der alten Ikonen, *die zärtliche Schwärze*
historisch gewordener Wälder,
ritt ausladend und
gravitätisch, wie ein Geweih.

Ich streifte verlorene Nadelbäume,
die weiter nach Norden zogen, der
Unruhehorizont um Bären
und Wölfe –
                    ich wollte
auf Vollständigkeit bedacht sein,
vergangene Wolken heraufbeschwören
aus ihren Spuren auf frühen Bildern.

Und behutsam, als löste ich ein
zusammengeklebtes Papier,
meine Flügel öffnend:

so ritt ich
in einer Reihe von Tierornamenten,
die funkelnd am Waldessaum aufgingen.

Hysteria siberiana

Sich im Neonlicht waschen. Aufgewühlt höher steigen.
Tannenpfade, verhaucht, laufen der Sonne zu.
Hirsche scharren im Schnee, wittern ihr Kalb nicht mehr,
10 000 Jahre vergessen liegt es im Permafrost.

Sich mit Neonlicht waschen. Dieses Herbergsdach kochten
Skifahrer, kauten lange am moosbewachsenen Holz.
Dampf sehen. Rauch riechen. Bergspitzen, die sich am
Mond wärmen, dem Mond zu nahe rücken, ihn löschen.

Sich das Neonlicht abwaschen. Schmelzwasser, Abwärme,
rostige Rinne der Bach durch das Dickicht. Hier nisten,
zwischen zerbrochenen Fliesen und Restarmaturen.
Sich ganz in den Schwung dieser Gipfelkette zurückziehen.

Restschnee

Ich war die dunkle Energie der vielen,
die allem Licht zugrunde liegt. *Daimon*
Berlin, ein Produzent von Batterien,
von Taschenlampen, Industrievernunft.

Laß uns von Erdöl sprechen. Als der helle Tag
wie jedesmal von seiner Plattform kippte,
wuchs mir ein Pelz aus Pipelines, ich war Sonne,
und meine Strahlen reichten bis Sibirien.
Melancholie des Ungestalten, Götze,
der durch die Röhren fließt, dahinten leckt
und Sümpfe neu verspiegelt. Glitzernde
Intelligenz der Tiefe windet sich

und beugt das Knie an jedem Knick.
Den Tiger reiten. Seine Streifen gleiten
an meinem Bein hinab wie Monatsblut.
Und ich war mit Brillanz begabt, mit Wut.

Animismus

Krähen

ohne Spuren
sich selbst zerlegende
Dunkelheit

Umraum
lose herumgestellt
um das Einkaufszentrum

unser Verhältnis zu Flächen mit frisch
gefallenem Schnee
ob wir imstande wären
sie nicht zu betreten

ich sah dich von weitem über die Felder gehen
du warst porös geworden unter den Flocken, der erste
Schnee in diesem Jahr und die Krähen gewannen ihr
Schwarz zurück, während ich immer weiter verbleichen
würde in der Erinnerung dieses Schnees, dieser Krähen

bald war niemand mehr da, den ich kannte

bald campierte ich mit meinem Federbett
in den kälteren Nächten am Straßenrand, um
der erschütternden Sanftheit der Flocken
ein Polster zu sein

Schafe

immer beginnt es mit Pflanzenpoetiken
Veilchenpastillen und falscher Erwartung
an Heilkunde, auf einem Grashalm geblasen

ich hatte den Rucksack gepackt mit der
blassen gespannten Landschaft sowie
den Wachsfiguren von Vater und Mutter

ein Windstoß
und dann deine Jacke, die sich in Flusen
auflöste, gänzlich in Flusen

dennoch trägst du sie auf dieser Wanderung
luftige Kugeln, Hände voll Pusteblumen
du hältst dich tagelang an ihnen fest

Quallen

galliger Atem lag über dem Land
ein pulsierender Wind
                    schwer wie
Gelee, eine Quallenart, die es hier
gar nicht gab

ich hielt eine Handvoll Gonaden
                        und du
streicheltest lange den glitschigen Schirm
seinen Siedepunkt, seine Genügsamkeit
wie wir geübt hatten

zur Fütterung hatte ich Quellwolken
über den Strand geblasen
                        wir gaben ihr
Sprenggelatine, sie nahm
alles an

ich sah transparente Städte, die rasend schnell
                        schmolzen
ich sah Fontänen in Folie eingeschweißt
sah leere Springbrunnenbecken, von reglosen
Blitzen umringt

so gelingt Hagelschlag

Rehe

es war dein Versuch, Gefühle
durch Stoffmuster auszudrücken

Hemden mit Kiefernprint, Nadeln, in denen
die Nacht beginnt, wächsern und hart

als ob die Arbeit des Astwerks
darin bestünde, das Licht festzuhalten

und ich, da ich das Krallenwachstum
des Waldes betrachte

wollte doch auch einmal
handhabbar werden, genauer

es war der Versuch, etwas
auf sich beruhen zu lassen

ein vordergründiges Lächeln
das alle Hintergründe verdeckt

Kolkrabe

mein Meister sucht ein Gefäß
von ungehörig glatter Gestalt, sucht das lose
  Hingegossene

            gestern noch
hat er Grabsteine exorziert und zerrieben
für schwarze Glasur

demungeachtet
        wird er ja
wissen und immer gewußt haben
daß das Berufsgeheimnis darin besteht

verwehte Bewegungen
Wellen und Wellenflächen
    gegeneinanderzustellen
bis das unmögliche Gleichgewicht eintritt

Murmeltiere

kanntest du das: aus blaugrauem Mohn zu bestehen
und diesen über den ganzen Saal zu verteilen

hineinzusinken in Knistern und Störgeräusch
und in das Ticken der Uhren über dem Ausgang, kanntest

du das, eine Stimme zu haben, die wesentlich tiefer
ansetzt als üblich, nämlich in Bodennähe

daß ich keiner Antwort gewürdigt wurde, obwohl ich mich
einer Körpersprache unendlicher Weite bediente

kanntest du das: der Saal ist taghell
nur nachts wächst den Wänden wieder ein Fell

Dachse

laß uns über Blattbehaarungen sprechen
flaumige Unterseiten, die niemals
mitgemalt werden in Musterbüchern

Laub, dicht ans Fenster gedrückt
und was leise herankriecht unter der Witterung
gleitet und weiter gleiten wird, glitt –

Ahorne, die sich schaubildschnell
wandeln, lehrfilmleicht Laub entwickeln
und Laub wieder abwerfen, Salweiden

Weißbirken, lange Wege im Regen
ich weiß nicht, ob ich darauf warte, daß du mir
endlich inmitten der Ahornbäume erscheinst

oder doch aus der Tiefe des Zimmers auftauchst
in der wir gemeinsam das Laub
betrachten, in dem ich dich finden will

Kröten

Warzenglas, festliche Römer
die ich dir entgegenhalte, die
Nuppen unter den Fingerkuppen

                ich kann
ihren atmenden Kehlsack betrachten, ihre
monströse grüne Glasur

          möchtest du wirklich
über den Rücken schnöder Pokale
lecken

über den Schneckenglanz von
Porzellanen, über das assel-
      graue Besteck – im Saal

hallt noch immer das Rascheln
unendlicher Äste, die wieder in Blätterfall
münden, Stürme
              und wie ein
Eulenschauer, der über den Wald geht
blickt mein Gesicht aus der Löffelwölbung

Stadtschamanen

Penns Wälder

Ich habe Leuten den Zugang zum Tulpenbaum
nicht direkt erlaubt, aber auch nicht verboten.
Die anderen (alte Schamanen) polieren ihre
Gesichter mit Sand, bis sie blind sind, und steigen
(vorgeblich blind) von den Bergen herab, um über
den Fall zu beraten. Kichernd blicken sie zwischen
den Fingern hindurch, stark übertreibend ertasten
sie sich ihren Weg, tasten sorgfältig Büsche ab.
Sie kommen, sie halten Gericht über mich.

Starterkits I

Gefüllte Tüten. Verhülltes. Müde Gardinen.
In den verlassenen Straßen wütender Müll.
Das ist alles lang her.
Was blieb von den lauen Abenden
auf der Veranda in P., von den Wolken, wie stäubend,
so als zerschmettere jemand Gipsstücke mit einem
Hammer, was blieb dort von uns, die wir draußen
atmeten, in der Erinnerung durchscheinend wie weißes
Seidenpapier. Der Fahrradkurier kam manchmal
zu den verbitterten Nachbarn, die in ihrer Küche saßen
und Fertiggerichte erwarteten.
Wir praktizierten noch einmal den Atavismus
des Nachtlagers, trampelten Gras nieder, Hunde,
die sich instinktiv um sich selbst drehen, mehrfach,
bevor sie sich in ihr Körbchen legen.
Maisfelder, Abende, Ebenen, und jenes Fahrrad bald
nur noch ein winziger Punkt am Horizont.
So fliehen verläßliche Hirten vor ihren zu schierer
Unzahl gewachsenen Herden, werden zu Gegenständen
auf unverdächtigen Flächen.

Starterkits II

Der Anti-Mücken-Wecker klingelte um Mitternacht
und machte mich aufmerksam auf die Wolke
aus gedämpften Gesprächen, die vor meinem Fenster
schwebte wie jener freihändige Geräuschverstärker,
den ich erst letzte Woche gekauft hatte und der sofort
wegflog, um den ich mir folglich immer noch Sorgen
machte, wie er zurechtkommen mochte in freier Natur.
Die nächtliche Wolke hingegen preßte sich fest an das Glas,
und ich drückte mein Super-Ohr, weiß und wie fleischlich,
gegen die andere Seite und lauschte, was sie mir zu sagen
hatte in ihrer insektoiden, stichprobenartigen Unstetigkeit.

Heimwege I

Das Trockenmittel
rappelt in meiner Reiskuchenpackung
und Stratuswolken hinter der Haltestelle
nieseln gleichgültig auf mich herab. Niemand
führt uns ins Wetter ein, in die Duschwanne
der Nebenbei-Erregung, doch kleine Wasserspeicher
suchen sich neue Stellen in meinem Körper.
Ich spüre sie jetzt in den Brustbereich wandern.
Dort in den Filtergewölben üben sie Druck aus.
Braune Ausflockungen wehen durch die Unterführung
wie Herbstlaub auf toten Gleisen.
Schon bin ich ein Waisentunnel geworden,
voll phosphoreszierender Wegweiser, die überall
den Ausgang vermuten. Ich öffne die Pappschachtel,
reiße die Folie eines Reiskuchens auf.

Heimwege II

Die miteinander verkoppelten Räder der D-Züge
fahren noch immer in grobkörnige Bahnhöfe ein.
Den Nachhall von Fahrkartenschaltern
gelte es wahrzunehmen, die ausgeschnittenen
Tapetenstücke ins Album zu kleben, auf daß der
bis heute ununterbrochene Wetterbericht
endlich endet. Ich fotografiere die Häuser im
Nachtsichtmodus. Mein Schatten, verkapselt im
Dunkel der Allgemeinheit, folgt mir an labilen
Drähten, er hängt an der Oberleitung als Zeichen
verzweifelter Renitenz. Es gab ein paar fahrlässige
Proteste und graubraune Nebenkläger, die die
neuen Schließzeiten weitergedacht hatten bis zum
Lokalkolorit. Nach Holz. Deutschland. Der Duft.

Milchpunkte I

Diesmal betrittst du nur zögerlich die Modellbauwelt.
Tannen aus grünen Wäscheklammern, Konfettischnee –
ohne das jetzt noch weiter thematisieren zu wollen:
Du kannst nicht verlorengehen, du wirst nicht in Tiere
verwandelt, du hältst dich auch nicht für den Prinzen,
kurzum, ein Märchenwald, der es nicht bringt.
Ihm fehlt das Erlebnis, der Kitzel, der dich anderswo,
eigentlich überall sonst, deutlich stärker erfaßt.
Sagen wir nur: Autowaschanlage. Du fährst sehr langsam ein,
ohne noch die Kontrolle über dein Fahrzeug zu haben,
fährst ein in die Monsterrollen, konturlosen Schwammobjekte,
fährst zwischen die Fellfetische, die dein Gesicht überstreichen,
auch wenn es hinter der Scheibe bleibt. Aber die Frontscheibe
ist dein Gesicht, und du schließt instinktiv die Augen vor
lauterem Schaum. Mit dieser Geisterbahn
können verdrossene Eisenbahnstrecken nicht mithalten.

Milchpunkte II

Ab einem gewissen Alter vertauscht man den Dinosaurierpark
mit der Musterhaus-Ausstellung. Über die Aufmarschplätze, über
die Panzerwüsten der Fußgängerzonen schwebst du heran,
beide Arme beschwert von gefüllten Plastiktüten, die dich
noch einigermaßen nahe am Boden halten. Du näherst dich
dem im Nichts aufgestellten Beispielgebäude behutsam, damit es
nicht plötzlich verfliegt. Schon vieles ist nur vom Gewicht deiner
federnden Schritte einfach zusammengeklappt. Deshalb stellst du
die Plastiktüten mit deiner Konservennahrung schon weit vor dem
Eingang ab, steigst auf, nur ein paar Meter höher, und übernimmst
jene Rolle des Engels am Giebel der Krippe, das heißt, du jubilierst
auf den Werbeplakaten am Eingang, mit Hornbrille angetan,
Glattrasur, Lippen zum O geformt, die auf den Neubau und
seine gewaltigen Segnungen hinweisen.

Ghost Detector I

Wir kommen auch im Fernsehen, flüsterte etwas
von der Veranda, kurz bevor damals der Boden
zu wanken begann. Erdbeerbier. Erdbebenbier.
Du hast deinen Mitschnitt der russischen Lieder
jahrelang aufgehoben, ebenso die Verführstimmen
auf deinem Anrufbeantworter. Silence. Silence.
Dein Einspielversuch des Ave Maria in jene
Vorabendsendung ging schief, und der Heilungsdienst
bringt uns Ansagen vorbei, immer neue Ansagen.
Vor der Haustür steht jeden Morgen die Flasche mit Milch,
sie behält ihre Form, ihre Unschuld, als hätte sich nichts
verändert. Vogelgezwitscher, tosend, erfüllt
alle Räume, in die du noch gehen kannst.

Ghost Detector II

Selbstoptimierung neu, zwischen Tag und Traum
hangelst du dich am Geländer entlang, das Geländer
ist imaginär, aber so etwas stört dich nicht. Ufos
landen gelegentlich in deinem Vorgarten, und du
studierst wieder »Technik der Videobilder«, aber es
gelingt nie, sie zu filmen. Neuerdings stellst du ihnen
ein Schüsselchen Milch hin. Handbücher öffnen und
schließen sich wie von selbst, es sind Fallen, in denen
sich dein Zigarettenrauch fängt. Den Anti-Rauch
vergräbst du allnächtlich im Garten neben dem Tonband.
Schon jetzt hast du dich verbessert. Alles verbessert sich.

Ärzte im Plattenbau

Die Nähe von Pflanzen bestärkt.
Schon im Treppenhaus
bekehrten sie uns zu Cremetiegeln, Arztkoffern
und den verkappten Formen von Narkose.
Mit stubenhockerischem Trotz
besetzten sie die Zonen unserer Ratlosigkeit.
Sie waren die kleinen Kreisverkehre
im Zentrum der Landschaft, Kreisverkehre,
in deren Mitte jeweils eine Konifere wuchs.

Wir standen bereits im Fahrstuhl,
die Hand in die Hüfte gestützt, reine
Tätigkeit gebend, wie Stutenkerle,
als wir uns jäh in den nervösen Fliegen
an den Fensterscheiben wiedererkannten.

Draußen die Hochspannungsmasten,
die Überwachungslampen, im Wartezimmer
die Rautenpullover, während ganz innen,
noch jenseits des Kühlschrankaufklebers,
der grauseidene Berg wehte, ein zu dünner Vorhang,
der jene andere Gegend nur mühsam verhüllte,
die struppigen Büsche vor den Verblendklinkern,
Büsche, und wie wir dort eben noch gingen in den
Geheimnissen glücklicher Draperie.

Wettermachen

Die magischen Objekte meiner Mutter

Der Wind treibt Schneeflocken vor sich her,
Flocken, die sich auf Flocken betten,
Schneefelder, Fernmelder, Wintergerät.

Schnee auf dem kobaltblauen Geäst, nachtblaue Nadeln
und Nervenkunst aus Porzellanzweigen, so
verminderten sich die Kiefern, veränderte sich

die Körperspannung, und wie meine Mutter das
Milchkännchen anhob, sich Unterglasurmalerei
einflößte, hauchdünne Pinselstriche, Strohhalmdekor.

Rinde, weißgeschneit, Schneekugeln, Zuckerdosen,
in denen der blaublumige Wind rotiert.
Schnee in den Tee gestreut, chinesische

Großräumigkeit um die stillen Stämme
des Alterns, nach der bewährten Taktik:
Nähe und Ferne vertauschen, Strategem sechs.

Kunststoff

Votivkerzen, Schluckbildchen, Wettersegen –
meine Tanten schritten den ersten eigenen Teppich ab,
Länge mal Breite, ihr goldenes, ihr Verlies,
in das sie zurückgekehrt waren nach Jahren
in Schwesternwohnheimen, Abendschulen,
nach Jahren, in denen sie niemals vermeinten frei zu sein.

Das Kunststoffwunder veränderte alles,
ließ neue Geräusche ins Zimmer,
die sich zu Gebilden formten,
zum quietschenden Drehverschluß eines Cremetiegels,
zum schmatzend entspannenden Bauch einer Shampooflasche,
zum knackenden Deckel auf einem Schälchen Heringssalat.

Durch das gekippte Küchenfenster drängte noch immer
Geruch von Dung, aber wenn sie jetzt abwuschen, standen
die Tanten ganz anders da, standen anders im Raum,
standen locker wie Schäume, Vliese und Flocken,
Weichmacher lagen auf ihren Gesichtern, Füllstoffe
um ihre Hüften, sie waren viel näher dran,

wenn von glänzenden Tellern das Wasser leicht abfloß
wie Seide, sie fühlten sich selbst seidig, waren
jetzt enger verbunden mit ihrer Umgebung, als hätte
Verseifung stattgefunden, Vulkanisierung, Bestrahlung.
Meine Tanten bevorzugten lebenslang Kleider
von Delmod: Nylon, Polyester, Polyamid.

Ich habe mich sofort daran gewöhnt.
Seltsam, daß Dinge wie Haarspray mit mir zusammen
zur Welt kamen. Meine Kindheit jene der Tetrapaks,

Plastiktüten und Kühltruhen. Letztens erst trieben im Müllstrudel Tausende Überraschungseikapseln mit Spielzeug gefüllt an den Strand von Langeoog.

Pfauenschreie, Pflanzenjäger

Drehaschenbecher, Heimarbeit, Torfsodenofen –
meine Tanten steckten die Haarteile fest,
spazierten zum Park, ihren Lackdackel, wie sie die
Handtasche nannten, unter den Arm geklemmt.

In einer Wolke aus Veilchenseife schritten
die Tanten durch dunklere Kräfte hindurch, durch
Gebüsche mit nie zu entfernender Staubschicht, das
düstere Laubzittern vor dem Schönwetterhimmel,

das anhebt, bevor eine Form schließlich zerbricht.
Es war die Zeit, in der Rhododendron erstmals
Platz in Privatgärten einnahm, in der er das Drückende,
das auf den Grundstücken lag, in Blüten verwandelte.

Meine Tanten wollten die Blätter belauschen,
erhorchten die Opiumkriege, die immer noch in ihnen
rauschten, chinesische Bergregionen, das Rascheln
von Seidenkleidern in weißgeschwollenen Knospen.

Wurden den Tanten je Sorten gewidmet? Sie mochten
den Zuchterfolg »Emily Peel«, benannt nach der Frau
des Sohns des Premierministers, sie mochten »Madame
Louis Van Houtte«, benannt nach der Gattin jenes

Herausgebers einer Gartenbauzeitschrift. Andere Damen
bekamen von vornherein Blüten übergestülpt, trugen Namen
wie Rosa, Petunia, Lilly. Meine Tanten warteten jahrelang
auf Rhododendren, die Wilma und Gertrud hießen wie sie.

Dunkle Spiegel

Und sonst so? – Ich war grad am Saugen.
Zart, verzagt, der Dämmerung zugewandt, den
baren Augenblicken am Abend, wenn die
ersten Einzelheiten versagen und die
Fluten sich heben.

Ich führte das gierige Tier auf die Weide. Ein Schlauch
voller Anmut, gebogener Nacken, das Kabelschwänzchen
erst ängstlich zwischen die Räder geklemmt, dann
nur noch gefräßig, und lange äste es zwischen den
Teppichfransen.

Es trat, es trat ein in die Nacht, es betrat uns, und wir –

Ich sah uns im Fenster, Gespenster der Grundreinigung,
mit Eimer und Schrubber verteilten wir
Flußfragmente am Boden, wie Fernsehbilder,
die durch die Wände gehen, an allen Orten
gleichzeitig sind.

– verschütteten Kübel: Ich sah uns in eisernen Bottichen
durch einen naßgewordenen Kosmos fahren, das
Raumklima ändern, wir wischten zwischen vier Beinen von
Hirschen, rachitisch, und unter den strohgeflochtenen
Bäuchen der Kühe.

Ich begann damit, den Wind zu verstärken, Gewässer
übereinanderzutürmen, Großraumwolken, so blaß
wie die Palmölblöcke hinter der Gardine der Küche,
Blümchenkittel, mechanisch vorangetrieben von
Frühling zu Frühling –

Und sonst so? – In den Gebäuden blieb ein Geruch von
Zitrusfrüchten zurück.

Isegrim

Wir sahen sie nie. Ihre Losungen wohl, ihre Tritte im
übertrockneten Boden, die Haare an einem Stacheldraht.

Manchmal fehlte etwas. Ein Kind. Etwas Kleingeld. Ein
warmer Pullover. Das ging zu Lasten der Dinge im Licht.

Wir dimmten die eigene Strahlkraft herab, um unter
den finsteren Mienen der Siedlung nicht aufzufallen.

Man fand Beanspruchungsspuren an seiner Hintertür.
Beobachtete, wie sich das hohe Gras unstatthaft teilte.

Sich lieber herauslösen aus einer Möglichkeit.
Nicht überhandnehmen. Unvollständige Orte

ertragen, zerkratzte Garagentore, zernagte
Zäune, frisch aufgeworfenes Erdreich im Hof.

Im Winter die Ratlosigkeit der Flocken, sich
niederzulassen. Wir bliesen sie weiter ins kommende Dorf.

Pathosformel

Ein Waldstück, noch überzogen mit dem sozialistischen
Grau der siebziger Jahre. Verkehrsfluß und alles

andere in der gewissen Entfernung. Dunkel-
felder. Brennende Kiefern. Rauch bis Berlin.

Diese Nadelbaumsammlung konnte ihm niemand
nehmen. Tannen im Bestandesschatten. Die

Affenschwanz-Araukarie. Sein schwarzes Gold:
alles abgefackelt. Der Wald verließ seinen Platz,

um ihn zu umschweben. Ascheregen. Der Plan
war ja, in die Schachtelhalm-Sümpfe zurückzukehren,

ach, ins Karbon. Die verkohlten Stämme zum Himmel
gereckte Hälse der Pflanzenfresser, und prasselnde

Flammen, die ihre Reißzähne in frische Kehlen
schlugen. Er selber der T-Rex, ein winziges Feuerzeug

in Dinosaurier-Klauen, und um ihn der malmende
Wald, die geballte Geschichte, die fliehende Urzeit,

in Qualm konserviert. Das jetzt ersetzte ihm seine
defekte Höhensonne. Trocknen. Entstofflichen.

Bäume der Erkenntnis

Ich würfelte einen Wolf
und zog weiter zu FARN.

Farnfraktal

– wie Flügel gegen sinkendes Abendlicht.
Und wir, wir wichen schüchtern den Schritt zurück
ins Dunkle, wo die Farnspiralen
ausharrten, dicht in sich eingewunden,

genügsam, lautlos. War ich denn jemals so –
so eingerollt in mich, völlig eingehegt
in Wald, der an mich grenzte, Wald, der
Gegenfarn bildete, größer, stiller.

Alas, she is no more, whose soul
was bent to mine like the bending seaweed.
Kakinomoto Hitomaro, Ende 7. Jh.

Algenfalten

wieder, Algen am Strand, nachlässig treiben sie
vor und wieder zurück, schleppen, was gestern war,
in den heutigen Tag, so
monoton und so unbeirrt

Grasdach, biegsames Nest, schnell wieder aufgelöst,
wie erst loslassen muß, wer etwas fassen will,
auf den Ufersaum sehen,
wo sich Vorher und Nachher mischt

Überlagerungsplan aller Berührungen,
die ich jemals erfuhr – aufgewühlt, gleichgemacht
von der ständigen Strömung
geisterhafter Geschmeidigkeit

Wolkenportale

Nicht an den Rand des äußersten Meers,
ans Ende der Welt nicht wollte ich wandern,
dorthin nicht, wo die Eisberge langsam
versinken und im Versinken noch Größe beweisen,

hier will ich warten, am Strand
der Genauigkeit, wo jedes einzelne Sandkorn
gezählt und bezahlt ist,
der Sand, auf den wir uns betten, wenn

wir versuchen, zu Hause zu sein,
geborgen in der Empörung der hitzigen Sonne,
unter dem quellenden Himmel, neben
den flatternden, lange geschlossenen Schirmen.

Was rauscht in der Nähe, sind Sphären,
undenkbar, der Rand dieser Gegend, von dem
alle Wolken, die Wetter herabstürzen und
in den Tiefen, den Tiefen verschwinden.

Wie kann es sein, daß ich mich hier halte,
knapp an der Kante, kurz vor dem Sturz
ins Weltall, was hält mich hier, während
ich weiß, daß ich nächtens flugfähig bin.

Aber ich krümme mich tags wie ein Wurm
auf dem Handtuch am Strand,
zu Lebzeiten schon in Laken geschlagen,
vermischt mit dem Rauschen,

das Wind sein mag, Wasser,
ein Weinen in seiner abstraktesten Form,
wenn Feuchtigkeit Salz führt und
Dinge zu schnell korrodieren.

Im Korridor aus zusammengeschlagenen
Stoffen, in Frottee und Bademoden
gleite ich mit der Umdrehung der Erde
weiter und zweifle,

ob ich mich bewege
am Rand dieses Strandes,
nicht mehr orientiert hinsichtlich
des Wochentags, Datums, des eigenen Namens,

während der Lärm des Meeres gegen mich fällt,
als sei ich Gewißheit.
Und unbewegt gehe ich über den Strand
und spüre das Anprallen, Anbranden,

Donnergrollen der Wogen,
sie türmen sich auf gegen mich,
und ich warte noch immer
auf deine entsetzliche Nähe,

daß sie heranrollt und sich überschlägt
und mich mitzieht
über den Rand des Bekannten
nach innen.

Nach Jacob Isaackszoon van Ruisdael,
Große Baumgruppe am Wasser, um 1665

Bäume der Erkenntnis

Luft

Geröllwolken, Rollwolken, quellende Wolkenformen
die schnell aufeinanderfolgen in unablässigem Aufhellen
Anschwellen, ständig verändert und mit der Textur von
Puder, Übermut
                    oder wie Spuren im Staub, ganze
Staubgebäude, in denen sich Fernweh ansammelt
anstaut wie Unmengen Flusen, wie lautlose Detonationen
der Sehnsucht, und abermals

weitere weiche Bleibebemühungen, plötzlich ein grelles
Kirschblütenweiß und von stürmischen Böen zerwühlt
oder kochende Laken, die wieder ins dunklere Wasser

absacken
grollende Trümmertransporte, bellende Winde, und bald
der Gestaltwandel aber und langer Atem

Laub

Hutewald, heißt es, unendlich verzögertes
Hinsinken, heißt es, aus zitternden Linien Laub und
die Lichter wie eingefriedet, zu winzigen Spiegeln gefaßt
was wohl Blendung war, Blatt über Blatt, oder ewiger Vorbehalt

noch einen Sommer lang die Lebensform Sofa
                                        Hügel und Hain
wo wir wieder, wo vielfach wie dumpfer Schotter, wie altes
Begehren die Eicheln fielen, wo lichtgemästetes Vieh wiederkäute

die Bäuche voll Cumulus, voller Stratus, voll Spiegelbildern
ein Finden und Finden
ein Ort aber, Ort unter Bäumen, wo Bäume

                                        Säumnisse sind
aber später doch, und unhaltbar, zunächst
noch nicht

Licht

sie überzogen den Himmel wie maßlose Moose
Polster aus Feuchtigkeit, reines Als Ob, diese
Baumpartien im Habitus Eichenhain, oft
war es so, daß es sich wiederholte, daß nachgiebige

majestätische Kronen, daß gegen das Licht, daß es moderte
thronte, auf daß lange Flüge über die Auen, über
zerbrochenen Birkenstämmen, geknicktem Schilf und
verrottetem Astwerk

zwei Wildenten landeten sanft auf dem Wasser
wie fallendes Laub, aber oft war es so, daß wir
formvollendete Omen mit heimlicher Furcht

betrachteten
                nahe am Ufer und ganz wie damals
schon gilb in der klaren Herbstluft

Ordnungen der Wildnis
Odenstrophen, Module

etwas wird zusammengesetzt, ganz neu, wie
man in eine Wohnung von Fremden erstmals
eintritt und die Wände noch weich, beweglich
findet, bis schließlich

Schnitt, und Abgeschnittenes, sich die Dinge
aus den Hintergründen entfernen, zarte
Halbschlafbilder stachliger Früchte, Disteln,
Diminutive

Konglomerate

wie Insektenmüdigkeit, Winteranfang,
wenn Marienkäfer zu Hunderten die
kalten Fensterritzen besetzen, rote
zornige Gondeln

Punkte im Dunkeln

Arbeit mit Mustern

formvollendet würde ich hier verwildern

oder kahle Bäume aus Zügen sehen,
dieser leichte graue Moment, der hinter
Glas gefaßt bleibt wie auf den Bildern alter
Meister die Ferne

Lärm der Verkehre

wieder las man Landtechnikmagazine,
Silo, Traktor, schweres Gerät, das Furchen
riß in dieser flachesten Gegend, schmale
Streifen auf Feldern

Ornamentales

wie man etwas anlaßlos anzieht, und es
wäre später so und nicht anders, wäre
in die Symmetrien des Sachten einfach
eingefügt, wäre

wäre Wildnis, was aus der Fläche aufsteigt,
Kollektoren schneller Bewölkung, könnten
Kiefernstämme, haltlose Halme, die sich
Räume erfinden

Seladon-Oden

I

ich war ein paar Jahre lang
               seladonsüchtig,
süchtig nach jenem unhaltbaren Farbton,
ein zaubrisches Grau, das ins
Unbestimmte zu kippen beginnt,
sobald man sich nähert

Meeresgrau, das Türkis ferner Berge, changierende
Minttöne trockener Sommerwiesen –
    und hieß es nicht »zärtlich wie Seladon« –

    so gab ich mich dieser sanften Glasur anheim,
    ging ich im städtischen Schäfergewand,

    ich hatte mir ausbedungen
          Glut und Geduld
    wartete auf die verhaltene Prachtentfaltung
    eines antiken Chinas

II

Ich war ein paar Jahre lang
        seladonsüchtig, suchte die Nähe
von Anstalten, Kliniken, Heimen, Kantinen,
ich folgte den Fernwärmerohren durch modernisierte
Siedlungen, mehr als ein Spiel,
stand lange auf Parkplätzen, wartete
vor geschlossenen Einkaufszentren,

ließ einzelne Regentropfen in Hundenäpfe
vor den Geschäften fallen,
auf Treppenabsätze aus altem Waschbeton,
        die Anakreontik vor dem Gewitter.

        Lindgrün, Patinagrün, Russischgrün, Kölner Brückengrün –
ich hangelte mich an einer Farbe entlang
(»Fassadenfarbe Grüngrau mit Schutz gegen Algen und Pilze«),
der Farbe des Unscheinbaren, der Ära von Adenauer, Reseda,
        gedämpft, unterdrückt, zurückhaltend, kühl.

Bei Betrachtung
der halbvertrockneten Büsche vor großen Wohnblocks
den Grauschleier selbst entfernen, hinzufügen,

ich war wie angelehnt an diese Gegend
(nomadischer Seladon-Pastoralismus) und endlich
entschlossen, den Trost der Form aufzugeben.

III

Was kann ein Gedanke dazutun, wie kann er die
Atmosphäre verändern, den Raum verformen
zu einer unbedeutenden Kleinigkeit?

Seladon ist die Farbe, die Jade nachahmt,
    die Farbe, die sich aus der Welt zurückzieht,
    das Flüstern von einem nach innen gekehrten Meer –

Lichtblau, Puderblau, Poolblau –
wo ist der Punkt, an dem eine Farbe
als Blau oder Grün aufgefaßt wird?

Grün ist die Farbe des Wachstums. Vegetation
gilt immer als grün. Wasser – wir wissen es ja.

Kann es Meergrün also geben? Céladon, Meergrün –
die flüssige Transparenz, ein Ermattungsfrieden,
nicht darstellbar.

(Wir befinden uns nämlich in einem Gefühlsraum,
der in allen Belangen dem Element Wasser ähnelt.)

IV

Eine ölige Fläche, schwappend, voll Schlieren, den Himmel
spiegelnd, Mondlicht oder gewaltige Scheinwerfer,
ein monochromes Bankett, auf dem etwas auftaucht,
     eine Vase
      eine optische Täuschung
   etwas, das sich aus den Tiefen des Meeres erhebt
und von Hand zu Hand gereicht wird, nicht
Fisch, nicht Fleisch, eine Vase also,
schaumgeborene, janusköpfige, die in deine
Vergangenheit und deine Zukunft blickt,

   dich mit Farbe bewirtet, dem ewigen Meer,
   gesintert in der Erinnerung, fest
   und nicht weiter formbar.

V Ode an die Bordsteinflechte

was sich
festgesetzt hat auf alten Granitplatten
vor der Heißmangel, vor dem Hundesalon

ich war ein paar Jahre lang
        seladonsüchtig, ich wollte
Flechten abpausen gehen,
Gegengestalten, die Schatten und Schemen der reinen
Vernunft, ein ruhiges, kreisrundes Wuchern
bis hin zu dem Punkt

      an dem ich nicht mehr imstande war,
      mich weiter vorzutasten,
ich wollte Platz lassen, wollte zur
      Seite rücken und Raum geben, albernen Raum,
        der sich sofort auflöste, der sowieso
          den andern gehörte

ich kniete mit Pauspapier
vor dem Eingang der Heißmangel, selbstredend eine
      Mangelerscheinung den andern,
      die mit ihren Laken vorbeikamen,
ich kniete unbotmäßig
vor dem Hundesalon, ich kniete
      zwischen den Kaugummiflecken und Steinflechten,
      die wie verschimmeltes Brot, verschimmelte Spiele

      die Exerzitien waren
      in Weidenblattgrau: ein geheimer
      Zengarten,
den ich mir ansah zwischen den Hundepfoten,

zartgeäderte Flechten, die wie eine aufgeschnittene Druse
das Innere des Gesteines zeigten:
    was verbarg diese Wildnis
        vor mir über all die Jahre?
        als begriffe ein Fleck,
        wie es um mich stand,

        ein Gewächs, schwer entfernbar,
und wie ich mich schließlich in Arbeit rette,
um irgendwo anzuknüpfen –
als gäbe es dies: den vollkommenen Ernst

Bürgersteige, über die die Kehrmaschine fegt

VI

ich sammelte damals
Apparate der Zartheit
   etwa den Winterpalast der Eremitage, seine
     Farben des Ausatmens, sammelte
Zonen von Ungestörtsein, wie die Idee eines
   seidenen Rokokokleides im Hirtenstil oder
   die ultimative Gelassenheit einer Verkehrsinsel

ich saß unerkannt neben dir
ich blieb Gemälden verpflichtet, auf denen es regnet

ich war ein paar Jahre lang
         unerreichbar
für die banale Abschilderung manifester Dinge

ich ließ Baustellensand durch die Finger gleiten
   Baustellensand, und was
graue Mulden bildet, in denen ich noch
   gestern gekauert

Die Große Nordische Expedition

in 15 Dioramen

I

Die Welt stand still, und Gmelin: abgebrannt.
Die Gelder der Akademie – verpufft,
trieben als Asche in der kalten Luft
und sanken sanft in seine leere Hand.

Er trug den Brandgeruch im Haar, im Kleid,
der Schlitten glühte noch. Die Schlittenhunde
in blanker Panik in den Schnee verschwunden
und ihre Spuren bereits zugeschneit.

Er hatte Angst um sie. Mit bloßen Pfoten
würden sie Kuhlen graben, winseln, koten,
sie würden Wasser fressen, weitergehen,

und immer weiter, tiefer in das Weiß,
das jetzt sein Haupt war. Über Nacht ein Greis.
Es fielen schwarze Flocken aus den Höhen.

II

Es fielen schwarze Flocken aus den Höhen
wie Tüllgardinen, bodenlang, verstaubt
über Äonen. Hatte er geglaubt,
er könnte über weite Räume sehen?

Der Schnee hing zwischen ihm und seiner Sicht,
und ohne Blick stand er in diesem Fallen,
seltsam gelöst, herausgelöst aus allem,
ein grauer Schneekristall in grauem Licht.

Sibirien, so schien es ihm, war fort.
Ein Stückchen Untergrund, kaum noch ein Ort,
dort schmerzten, Eis geworden, seine Zehen,

ob innen oder außen, war nicht klar.
Nur die Gardinen wußten, wo er war.
Er sah sein Wissen mit dem Schnee verwehen.

III

Er sah sein Wissen mit dem Schnee verwehen.
Hexagonale Symmetrie, Dendriten,
ein Wald aus Kälteästen – so gerieten
die Hexenwerke der Vernunft zu Feen

aus Schnee und Widerschnee. Die klare Form
zu Schleiern ausgereizt, zu feinen Spielen
von Wind und Falten, die ins Leere fielen,
und Gegenschleiern, die sich nach der Norm

zu Mustern überlagerten, Moiré,
die Ordnung höherer Kategorie,
aus Rastern, Gittern, Wirbeln, Wetter, Tand

mit psychedelischen Effekten. Gerne
trieb er mit Ornamenten in die Ferne,
so leicht wie Pflanzenschatten an der Wand.

IV

Ich war der Pflanzenschatten an der Wand,
ich war die Zeichnung einer Konifere,
ein leerer Umriß in der großen Leere
der Taiga, mit Schraffuren bis zum Rand

behutsam ausgefüllt. Ich war ein Schwanken
und wuchs beharrlich wie ein Ährenfeld.
Das ist der alte Traum in Wort und Bild:
Ein Haufen Striche fügen sich zu Ranken

um die Begabung eines Mannes. Flora
sibirica. Praecisio. Labora.
Nur auf latein ist etwas so genau

und gültig darstellbar. Lateinisch zeichnen,
mit Linien die Ewigkeit erreichen –
der Rest Erinnerung, Geruch von Rauch.

V

Der Rest Erinnerung, Geruch von Rauch
um Gräser, mehrfach abgeknickt, so daß
ein ganzer Halm auf eine Seite paßt,
der Stengel durchgeschnitten und gestaucht

auf dem Papier plaziert, die Einzelteile
ein Stück versetzt. Ich war die Tiefenwirkung
von Flatter-Rispenhirsen (Panicum)
mit Knoten, Häutchen, rauh behaarten Scheiden

und zugespitzten Spelzen. Ich behielt
an allen Punkten Schärfe bei. Gezielt
in Schach gehaltene, gerippte Blätter

drängten nach außen, schlängelten ins Licht.
Ich überwuchs die Ränder. Mein Gesicht
verglühtes Holz und müdes, trübes Wetter.

VI

Verglühtes Holz und müdes, trübes Wetter.
Die Fenster waren aus dem Fluß geschnitten,
mit Wasser in die Höhlungen gekittet,
besonders klare Eisquadrate, Retter

vor Dunkelheit und Kälte. Mildes Licht
fiel auf den Tisch. Auf diesem Breitengrad
sah man um zwei am frühen Nachmittag
schon wieder Sterne hell am Himmel. Nichts

sprach gegen kurze Arbeit, langen Schlaf.
Er schlief die Halme und die Äste nach,
trieb neue Blüten aus, er blieb im Bett, er

erschuf im Eishaus noch einmal das Gras,
das Laub. Im Schlaf florierte er. Vergaß
die Zeit, geschrumpft auf zwei verkohlte Bretter.

VII

Die Zeit – geschrumpft auf zwei verkohlte Bretter,
auf denen er voranglitt Fuß um Fuß,
ein Skitour-Alptraum, sein Schamanenflug
ins Landesinnere. Vor ihm ein fetter

Polarfuchs, glänzend hell im Winterschal.
Er trabte unbedarft vorbei, und leise
blieb Gmelin hinter ihm. Normalerweise
erledigte die Jagd das Personal,

er reiste mit gepuderter Perücke.
Jetzt glitt er unsichtbar in eine Lücke,
er schoß – und spürte Blei in seinem Bauch.

Der Jäger, der zum Wild wird, ist der beste.
Als Herzschlag tickten noch in seiner Weste
die Uhrenzeiger, nicht mehr in Gebrauch.

VIII

Wie Uhrenzeiger, nicht mehr in Gebrauch:
gekreuzte Beine wiesen starr ins Weite,
und Fell bedeckte die gesamte Breite
des Männerrückens; auf der Stirn das Maul

des Elches wie ein Diadem. Die Schaufeln,
sie drohten über seinem Kopf als Krone,
am Gürtel Schellen. Keine Stelle ohne
irgendein Anhängsel. Als er zu trommeln

begann, erklangen auch die Amulette
um seinen Hals, bewegten sich Skelette
auf seinem Rock. Er kroch auf allen vieren,

Gmelin hielt nichts davon. Dem Mummenschanz
war nicht zu trauen. Er vertraute ganz
auf Kisten dicht beschriebener Papiere.

IX

Drei Kisten dicht beschriebener Papiere
enthielten alles, was sich auf der Fahrt
als Wahrnehmung bewerten ließ. Genarrt
durch Gaukelei und Zauber, durch das schiere

Gehabe war er nicht. Er sah das Messer,
das vor dem Einstich rasch zur Seite glitt,
er sah, wer barfuß über Gluten schritt
und Feuer schluckte. Doch er wußte besser,

was Wahrheit war, was Aberglaube, Trick.
Zumeist genügte ihm ein klarer Blick
auf Federschmuck, Gebisse, Vogelmieren,

auf Bärenschädel, Gräser, Räucherkraut –
was den Schamanenstatus aufgebaut,
glich seinen Pflanzenpräparaten, Tieren.

X

All seine Pflanzenpräparate, Tiere,
vom Zoll der Russen mehrfach kontrolliert,
auf Eis- und Wasserstraßen mitgeführt
und nach St. Petersburg verschickt – es giere,

hieß es, die Wissenschaft nach Material,
so daß er Nachschub lieferte. Er wollte
Sibirien komplett erfassen, grollte
dem Schicksal, das ihn aufhielt in Gestalt

von Bürokraten. Stets saß dort der Dämon!
Kamtschatka hatte er längst aufgegeben.
Er schickte Steller hin als Stellvertreter,

Steller war jung, energisch, aufgeweckt
und liebte Lilien und Rhododendron,
gemalt, gemessen, auf ein Brett gesteckt.

XI

Gemalt, gemessen, auf ein Brett gesteckt –
soweit die Sommeroberfläche. Tiefer
ruhten die Bodenschätze, Kohle, Schiefer,
Gold, Silber, Eisenerze, kaum verdeckt

von dünnen Schichten Erde. Nur das Laub
mußte man hier und da zur Seite schieben,
um mit geschmeidigen, gezielten Hieben
Wohlstand und Fortschritt zu befördern. Raub

schien fast zu einfach, um sich hier zu lohnen.
Man konnte zwischen Diamanten wohnen,
wo Stahl in Strömen floß, wo Öfen rannen,

für jedes Blech mit einem Wald bestückt.
Den Eisen-Ammen an die Brust gedrückt,
war alles Maß verzehrt vom Fraß der Flammen.

XII

Das Maß war aufgezehrt vom Fraß der Flammen.
Die Leute zündelten und tauten Eis,
dabei schien ihm das Pessimum erreicht,
er hörte Hartes gegen Hartes schrammen.

Ein Stoßzahn ragte aus dem starren Boden,
an dem die Brecheisen zerbrachen. Kalt
war kein Begriff für dieses Klima, alt
kein Wort für diese Knochen. Mammut-Moden,

von Peter eingeführt: man zog den Rumpf
mit Fell und Überresten aus dem Sumpf,
um ihn im Westen hinter Glas zu bannen.

Er selbst blieb in Sibirien verrannt,
er kam nicht mehr heraus aus diesem Land.
Sein Ich fiel nicht mehr mit ihm selbst zusammen.

XIII

Sein Ich fiel nicht mehr mit ihm selbst zusammen,
lief hinter ihm als langer Strich, die Bahn
des Schlittens über Wolkendecken, Wahn
von dünnen Linien, die man mit klammen,

gekrümmten Fingern in das Nichts gestellt,
ein Halm von Eisgewächsen, immer länger
von Nacht zu Tag zu Nacht. Ihm wurde bänger
im Angesicht einer fragilen Welt,

die nur mehr haltlos in die Zukunft schwebte.
Es blieb ein Wunder, daß er selbst noch lebte.
Seine Kollegen würden bald verreckt,

verschwunden sein. Croyère kam vom Polarmeer
nie mehr zurück. In Tjumen stürbe Steller.
Er hatte maßlos weiten Raum entdeckt.

XIV

Er hatte maßlos weiten Raum entdeckt,
von Krasnojarsk zum Baikalsee, die Lena
bis nach Jakutsk – es waren Handelswege,
die er bereiste, das blieb Sinn und Zweck

von Rudern, Rädern, Kufen und Galopp.
Die Händler zogen Routen durch Gebiete,
um Holz, Erz, Pelz, um Teer und Talk zu liefern,
beschifften Irtysch, Jenissej und Ob.

Viel später würde Öl durch Röhren fließen,
der Wal des Tiefschlafs, schwerer Traum vom Fliegen.
Sibirien blieb weiß und unbekannt,

ein Ungeheuer, das den Raum, die Zeit
verschlang und wieder ausspie. Seid bereit.
Die Welt stand still, und Gmelin: abgebrannt.

XV

Die Welt stand still, und Gmelin: abgebrannt.
Es fielen schwarze Flocken aus den Höhen,
er sah sein Wissen mit dem Schnee verwehen,
so leicht wie Pflanzenschatten an der Wand.

Erinnern würde er Geruch von Rauch,
verglühtes Holz und müdes, trübes Wetter.
Die Zeit geschrumpft auf zwei verkohlte Bretter,
wie Uhrenzeiger, nicht mehr in Gebrauch.

Drei Kisten dicht beschriebener Papiere,
all seine Pflanzenpräparate, Tiere,
gemalt, gemessen, auf ein Brett gesteckt –

das Maß war aufgezehrt vom Fraß der Flammen.
Sein Ich fiel nicht mehr mit ihm selbst zusammen,
er hatte maßlos weiten Raum entdeckt.

Transssib

Geistergespräche

Was mich anweht: der Wohnzimmerkult in der Eisenbahn.
Ein ganzes Land durch staubige Stores gesehen,

zitternde Rochen. Zielloser Ärger, im Luftzug
schwankend. Von Zeit zu Zeit aufgebauscht. Wieder und wieder

die Energie der stummen Empörung, die diese Synthetik
auflädt. Erste Schläge versetzt.

Schlag auf Schlag. Stämme auf Stämme. Die endlosen
Zahlen von Bahnschwellen. Endlich in Schlaf fallen. Birken

fällen. Birken auf Birken. Trassen erstellen.
Die leeren Jahre, die in den Gardinen hängen.

Für immer ein niederschwelliges Schweben, der Blick
auf den baldigen, den potentiellen Schnee. Aber

wartet nur, balde versagt euch auch euer Vorhang
den Trost der Pendelbewegung. Wehe! Wehende

Welt! Voller Wehmut und weit, so weit von Europa.
Und doch. Hier ist noch lange nicht Wladiwostok.

Schlittschuhlaufen (mit Klopstock)

– mit Stahlkufen eingeritzt, Stoßzähne, ineinander
verschlungen und über die Jahre von Schülergruppen

weiter zerkratzt – ich fahre Wollhaarmammute
in die gefrorene Fläche, ich fahre empfindliche

Rüssel, verwehendes Fell nach, ein Gitternetz
aus Gravuren, Gekrakel, die kalten Gardinen eines

Zuviel und Zuwenig – wie das Eis hallt! – wie der
Krystall tönt! – sich jedes Haar einzeln darstellt!

Borsten, bodenlang, Elfenbeine – wie willst du
Megafauna erneut überschreiben? Ein Gleiten

von Wind auf dem See, ein Schreiten auf Geisterpapieren
– wie fliegst du dahin! Wie reißt der Frost an den Lidern.

In kunstvollen Linien ziehen die alten Begleittiere mit,
Rilkes Kutschpferde, Celans Filzschwäne, Stellers

Seekuh. Am Rande der Baikal-Amur-Magistrale
zeichne ich Transsibtiger aus Eisen und Eis.

Eislochtauchen

So kam das erschütternde Mondlicht zu Tal, tränkte
den Berg aus zerknüllten Handtüchern mit seiner Würde,

vertiefte die Schatten (Faltenwurfstudie), ich nahm mir
vor, alles aufzuzeichnen, genau diesen Augenblick

festzuhalten, an dem mich der Kältesturz mit seiner
Wucht erfaßte. Baikal-Energija, Schockeffekt:

in eine fremde Intelligenz geraten.
Seeschnee bewegt sich in feinen Partikeln durchs Bild.

Hier rollt eine Baikalrobbe durchs Wasser, die als reine
Fettkugel gilt, wenngleich wenig schmackhaft. Nicht direkt

Ballform, aber doch deutlich genudelt die Stellersche
Seekuh, erinnern wir uns. Wie sie um Partner

trauern, mit Zahnplatten Algen zermalmen per omnia
saecula saeculorum. Wir treffen sie niemals

mehr an, das ist bitterer Realismus. Robbentran
ist allerdings noch vorhanden. Tran. Trance.

Kryptodepression

Im Gletscherbett des Hotels. Thermalwasser tritt
aus den Kacheln, taut auf, was im Eisblock verborgen war

über die Jahre, Wolkenkonserven, die in ihrem
Schwebezustand bewegungslos ausgeharrt. Jemand

hat sich bemüht, sie in diese Wanne zu hieven,
und ich lasse Wasser ein, bis sich der Raum endlich trübt.

Schneegardinen, zusammengewickelt, so liege ich
eingehüllt, Mumie in ihrem Trogtal, ich habe

die Geister, die vorher das Zimmer bewohnten, verbannt
in Ekstase. Dort warten sie, händeringend und zitternd,

darauf, daß das Wasser abkühlt. Man sieht sie noch immer,
unirdisch schillernde Körper auf Seifenfilmen.

Ich bade im Sud von Wacholderbeeren, in Schneeresten,
Schaumchrysanthemen. Ich wollte ein Wirbelsturm

ohne Füße werden. Ich wollte die Vorhänge
verstehen, die über die Leuchtschrift der Bahnhöfe wehen.

Whiteout

Schnee fällt an Fassaden herab. An Wänden entlang,
die nicht funktionieren. An futuristischen Wohnblocks

auf Stelzen. Schneewolken, durch die Gardine betrachtet,
gerastert. Diesem Raum nicht länger gefallen

wollen. Gegenstände beerdigen gehen, die
leeren Plastikflaschen vergraben, die Plüschkissen

endlich bestatten, wie das Ritual es verlangt.
Matratzenhügel, verschneite Rücken von Kurganen,

Grabbeigabe: vier Autoreifen. Wie kalt es
wirklich ist, kann man nicht sehen. Tiere ausatmen.

Helle, zum Himmel wehende Schwäne. Silberne
Zirkustiger, die krachend durch eine Papierwand

brechen. Tiere ausatmen, rasch verflogene
Schafe, der Altbestand. Hingehaucht verblichene

Tiere, die Niederlagen verkraften können.
Dann und wann ein weißer Elefant.

Lakenfahrt

Der Sibirische Tiger und sein zusammengeschrumpftes
Verbreitungsgebiet. Grund dafür ist der Verlust der

Koreakiefer, deren Samen die Nahrung für alle
nördlichen Tiger liefert, vermittelt durch Schwarzwild.

Ich lege mich im Abteil unters Laken und rase
nach innen, hinein in die Nacht, eine endlose Zahl

von Zeitzonen querend. Das Licht aus dem Zug zeigt
ein Daumenkino aus Stämmen, vorbeiblätternd, Streifen,

die Weite erschließen. Entfernt von. Schon sehr weit entfernt.
Beim Tiger liegen. Dicht an den Temperaturen

erhabener Tiefe, die die Seelenstärke
über ihr gewohntes Mittelmaß erhöhen.

Seinen Atem spüren im Rattern der Bahn,
seine Zeichnung erkennen im Waldmuster, Musterwald,

der in mir zittert, weil ich ein Tabu überschreite,
über die Schienen ins Abseits, Schwellen zum Schlaf.

Daimon

Eigengrau

1

und schlief ich bei entblätternden Birken ein
und hielte dich ins Licht, meine Seele, bis
der Wald, vor allem Fichten, wie zu-
sammengefaltet durch dich hindurchschien.

verließ ich die Behausung als Fledermaus,
verließest vielmehr du, was mein Körper war,
der dort zurückblieb unterm Flattern –
wir also, sage ich majestätisch,

besaßen zarte Knochen und kaum Gewicht.
die dünne Flughaut reichte vom Handgelenk
bis zu den Schultern, ein Mantel oder
zuckender Muskel der Luft, das Faustrecht

der Nacht.

2

und doch:
die Flederseele kleiner als gedacht

3

Gedankenflug: die mausgrauen Flusen, Staub
mit überlangen Fingern, wie Speichen weit

gespreizt, auf die sich Finsternisse
spannten in samtigen Flächen, Fetzen,

und eine Daumenkralle, die souverän
durch dichtes Dunkel blätterte, Zickzackschrift
aus schwarzen Blitzen in die Himmel ritzte,
Tinten-Minuskeln, Mental-Tattoos.

(ausschließlich karolingische Minuskeln)

4

und unten zittert meine Hand im Schlaf

5

Vampirgefühl: wenn dieses im richtigen
Moment hervorbricht, reißt es die Formen auf
und zeigt mit einemmal die ganze
Ausstrahlung, ja die Gewalt des Redners.

(nach Longinus.)

der hohe Ton, so Ortung wie Orgie,
mit Echofronten weist er auf Dinge hin,
die sich bewegen, Mücken, Lücken,
lockende Beute im Reich der Sprache.

6

unhörbar flögen wir, blieben unsichtbar
im Superhelden-Umhang, in Saus und Braus
zum schwarzen Raum gemausert. Wetter,
Donnergroll, Hagelschlag flögen mit uns,

(und Spulen, dicht mit Frauenhaar umwickelt,
fielen aus großer Höhe auf die Felder.)

so ging der Herbst, verdarb die Ernte.

und Grausen käme dich an,
o du, meine Seele.

7

da ich im Schlafe lag und die Hände mir
wie Birkenlaub erzitterten, schien es bald,
als ob sie wie am hellen Tage
in dieser Körperhöhle Quartier nahm,

die Flügel eingeschlagen und über Kopf
an ihren Zehen aufgehängt, mausetot
für Monate, ein alter Fichten-
zapfen, vertrocknet, in Winterstarre.

Schwarzpigment

wohingegen wir
      Altlasten tragen, Gewehre, die Scham
          einer Seele aus Schnee

Verwehungen. Aggregate
Gehäuftes. Verharschtes
      wie eine Begabung, verheimlicht, noch
      straff in sich eingefaltet, und außen
      die Schichten von
      niedergegangenem Ruß

damit trugen wir uns.
sprachen wieder vom Plus. wollten begleichen, was
aufgewirbelter Schnee, Staubschichten zugefügt
      hatten, Lagen aus weich-weicheren Lasten
          schwere Kapuzen, die bis auf den Boden reichten

Carbon Black, der Verstärkerfüllstoff
in federnden Reifen und
      unser Geländewagen als Charisma
      ausgegossen über der Straße

wohingegen wir

wir blicken zurück auf die Bausünden
unserer Städte, die Wellblechkränkung, zurück
auf die Wildhüter

die wir gewesen sind
Männer wie wir, die mit Lärm
ein Revier markieren

Nymphaion

wie kalte Stücke einer Gymnastikübung
der Bronzeleib am Wasserbecken,

Grünspanbrüste,
Patinafinger, die Blöße deckend,

und ständig mit zerfließendem Faltenwurf,
mit rauschenden Gewändern, Drei-Wetter-Taft

befaßt, mit rieselnden Rüschen und bügelfreien,
fallenden Hüllen,

ein Schwall, in den ich damals
mit den Gummistiefeln trat.

schon sehe ich nicht mehr der locker gestaffelten Wellen
geländegängiges Glänzen, zerrissen

barocke Tapetenmuster, die treibenden Ahornblätter
im Uferbereich. hinter den Hochspannungsmasten,

den Gräsern in Graustufen,
hinten zerbrechen akustische Fliesen,

weit hinten erscheint eine Ferne,
so nah sie auch sein mag,

glattwandig, glaswandig, aufgegebene
Duschkabine mit rutschfestem Bodenbelag

oder dein großes Gesicht aus gefrorener Tusche,
Gewaltregen, Mutterdunkel,

die Unnahbarkeit eine tiefschwarze Fläche,
auf der die Wasserlilien länger schon fehlen.

Neopren

auflösen würden sich: Cumulostratus
die weite Wasserflächen bedecken
die Meere beschirmen und keine
Besitzansprüche erheben

aufquellen werden: die staatenbildenden
Wolken, vom Donner emporgehoben
Gewalten, die sich durch Reibung entzünden
wenn sie zu dicht aneinander vorbeiziehen

bleiben wird: nächtelang
das Schlagen von Kofferraumdeckeln
ein Wind, der die Dinge verdunkelt
ihnen Konturen nimmt

weggespült würden: die Küstenlinie aus Tetrapoden
und Bettenburgen zu nahe am Ufer
standhalten würden: die maßlosen Büsten
die Reste gesprengter Bunker am Strand

aufhören würden: die Fahrstuhlmusik und wie
Rolltreppen langsam den Raum benagen
anhalten würde: der weltweite Sandhandel
schwebende Berge, gebannt in Beton

ausdünnen würde: der Regen zwischen den Reihenhäusern
abklingen müßte: die prickelnde Schrift auf den Zeitungsseiten
anreichern würden sich: die historischen Kuranlagen
mit platzenden Blasen Aktivschaum

*

sah man meine Gestalt unter der Wolkenflucht
langgezogen vom Wind, endloser Gegenstand
der die Außenwelt dehnte: Sprühregen, Kondensat
jener unsteten Räume, die ich schlafwandlerisch betrat

Hypnopomp

Rettung des Weltklimas aus
                    dem Geiste der deutschen Ode –
haben wir uns da nicht etwas
viel vorgenommen?

wir, die wir vornehmlich
                    mit Stanniolpapier spielen,
flüsternde Kügelchen wertschätzen,
zu Perlen

                    zusammenpressen,
ganz in uns selbst versunken
geflügelte Kügelchen gleiten sehen,
die Seele im Schwerpunkt ihrer Bewegung,

uns versenken in Tortenspitzen,
                    ins Glitzern der eigenen Finger,
den Zahnkranz der lachenden Tanten, versinken in
Weißabgleich, Graustandard, Referenzwerten –

*

als ich als Dotter ging, trug ich ein Kleid
aus klebrigem Eiweiß, das fremden Berührungen
nachgab, war ich ein wandelndes Ei ohne Schale,
was eine Meisterleistung der Brütkunst erfordert.

Passanten traten mir ständig zu nahe, so ist das
mit deutlich vergrößerter Aura, Küßchen hier,
Küßchen da, für Erdbeerbaiser ein Eiklar
so lange schlagen, bis Schnee entsteht. und ja,

ich versteifte mich schon, wenn abgelutschte
Kippen auf der Straße lagen, sie hafteten an
und ich schleifte sie mit bis in die Nächte,
erschien dir in einem Nimbus aus Filtern,

so war das damals, Puddingreklame, Backpulver,
Kuchenzutaten füllten die Straßen, sobald die
Kontrollinstanz nachließ, und ich immer in
Denkerpose, ein Traumprotokoll der Innerlichkeit –

*

in meiner Lebenszeit sind 60 % der in der
Wildnis lebenden Wirbeltiere verschwunden.
und wer gegangen ist, sieht sich von weitem
und kann sich niemandem begreiflich machen,

liest Fahrpläne, Aufdrucke. ich zitiere
das letzte Brot, das ich kaufte, es trug
eine Spruchbanderole: lange
                              wanderten wir umher.

Shinto

Nachtpaß. Faßbarkeit. Etwas passiert
in die Gebirge hinein, in die tiefliegende
Wolkenschicht, hauchzarte
Form, auf die Nässe gestülpt,
ein drückendes Joch auf dem tropfenden Wald.
Grauholz. Simplon. Murgenthal. Wasserfluh. Eins
aus dem anderen. Graufolgen. Sichtfelder. Folge-
richtigkeit. Dies ist der endlose Film des Gebirges,
das sich entfaltete, als alles zutraf, das wieder
zusammenschnurrte, du weißt schon, warum.

Abends noch in die Berge gestiegen,
mit nichts als dem Blick auf die Höhen und Größen.
Dunkelnde Tannenschlucht. Schutzhütte Tagesrest.
Felsgeröll löst sich im letzten Licht.
Der Cörper ist noch nie so leycht gewesen ...
und ich schlafe Tunnel durch jene Wellen,
die sich zu 4000ern türmen, zur Wucht
von elektrisch verstärkten Krönungsmessen,
in denen die Leuchter schwanken mit dieser
zärtlichen Lethargie.

Eine silberne Schale, gefüllt mit Schnee.
Zeami Motokiyo

Nimbus

Was ist Dunkelheit? Ich wollte Wälder
wiedererkennen in stürmischer Düsternis,
in diesen über und über aufgeschütteten Schatten,
wollte im Hauch aus der Ferne
das Laub fallen sehen, das Dämmerlaub,
Blatt für Blatt ultraleicht ausgeatmet, wie Daunen.

Schattental. Teeschale. Unfaßbar schwarz. Eisen-Asche-
Glasur, Setoguro, ein regloser Fluß, in den ich
so lange schaute, der sich den Außenraum
Innenraum als Aufgabe stellt.
Ein Gefäß voller Körperlichkeit in die Hand nehmen,
die Lippe der Tasse mit eigener Lippe berühren,
über Hüfte und Fuß gekörnter Tontöpfe streichen,
sich schaudernd die Haut daran aufrauhen.

Yugen heißt in der Ästhetik des Ostens erhabene Tiefe.
Das Japanische *gen* (chin. *xuan*) wird übersetzt mit
dunkel, schwarz, tiefgründig, jedoch bezeichnet es auch
die Lehre des Dao. Yu, konnotiert mit Begriffen wie
Geist oder Totenreich, hat die Bedeutung geheimnisvoll,
übernatürlich, auch unerforschlich und rätselhaft,
nicht mit Verstandeskräften zu fassen, nicht vorstellbar.
Yugen ist das gestaltlose Dunkel,
Yugen ist Raum der unmöglichen Finsternis,
Raum, undurchdringlich dem Denken, doch Dinge

durchdringen ihn, treten in Erscheinung.
Was ist ihr Geheimnis? Sind sie weiser als wir?

Die Liegestühle standen am Rand
des verschneiten Plateaus, standen am Abgrund
des Bergpanoramas, belichtete weiße Gipfel,
die auf grauen Felsen ruhten, das Schattental
stieg auf in den Abend, entfaltete nasse
Stoffbahnen, die dort im letzten Sonnenlicht blakten.
Wo waren wir in diesem Bild?
Wir ließen schneien, tauen, glitzern.
Wir bestrichen die Szene mit schwarzem Zuckerguß.
Zauberbergsetting. Deckerinnerung. Aber wofür?
Wir blieben die Provokation, das Problem: etwas
Ausgeschnittenes, das sich nie wieder einfügen ließ.

Weiße Aussparungen, die verschneiten Stellen.
Hingestreutes, Wege voll Rindenmulch, Wind
in den Kiefern. Wie etwas Ausgeschüttetes,
das sich nie wieder einsammeln ließ. Ich wollte mich
in der unauffälligen Falte des Tales verstecken,
wollte mich ausnehmen aus jenem Wind, der den
Harzgeruch weitertrug, keiner der Gegenstände mehr,
die gegen die Leere stehen, die Leere hemmen
in ihrer vollkommenen Ausbreitung über den Berg.

Feldspat-Asche-Glasur, weißes Shino,
ein unscharfer, porzellanhafter Schimmer,
der mich noch immer beobachtet,
wie damals du in der Nacht deinen Blick
nicht abwandtest, den ich nicht sah, aber spürte,
der mir noch immer ein Rätsel ist. So wie
du damals vermochtest, durch Wände zu gehen,

schon unbestimmt, ohne Rücksicht auf mich.
Weißt du denn, was ich mir heute noch
von deiner Anerkennung verspreche, zumal
auch du nur in meiner Vorstellung noch existierst.

Dunkelheit, Fliesen, Verbranntes. Asche aus
Wut oder Angst – ich beginne mit Liebesgedichten, jetzt,
in einem Alter, in dem die japanischen Töpfermeister
sich an ihre erste Teeschale wagen, nach Jahren
der Demütigungen, der Übung, der Demut.
Was ist Dunkelheit, frage ich dich, frage ich mich,
während ich auf den Grund der Teeschale blicke,
eine Schale, in der alle Flocken wieder zur Ruhe kommen,
eine einfache Schale, darin tiefe Finsternis.

***

Dunkelheit denken: nicht wie ein Berg,
eher wie ein negatives Gebirge, wie Berge aus
Wind, die auf dekorative Logik verzichten.
Ein solches Gebirge ist weich und gleitet
durch metrisch gebundene Rede, es kann
mit der Leichtigkeit einer Bauhausfront
Dinge in Licht, in Schatten verwandeln.

Nach innen. Ingenium. Schwärzegefäße.
Tafellack, Schiefer, Bitumen, ich war nicht in Form,
ich gehörte der Formlosigkeit, ich hatte mich
aufgehalten in Ebonit, Bakelit, schließlich
wie Sonnententakel nach allen Seiten weiter
hinausgewagt –

Waren wir nicht Ingenieure der Sichtbarkeitsschichten,
der Wälder aus Sternenhimmeln und Wind?
Tritt ein in den Wald, ich habe
noch ein Versprechen zu halten. Aber von welcher Seite auch immer,
niemals waren die Wälder genauer zu sehen,
nur verflogene Umrisse, altes Laub
von Schulkindern aufgewirbelt, und Büsche,
zurückgezogen und teilnahmslos.

Was ist Dunkelheit? Eine Beruhigung, daß etwas endet,
was lange zunahm, zuviel wurde, Wald wurde, Wildnis, was
weiter wucherte, bis es sich endlich lückenlos schloß,
schwarzer Waldwürfel, Wildnisklotz, eine Vitrine, vollkommen
ausgefüllt mit der Behauptung von tiefer Nacht.

Was ist Dunkelheit? Räume, durchsetzt von der unwahrscheinlichen
Glätte der Teeschalen, pechschwarze Blüten in alten
Brokatbeuteln, frisch entfaltet wie am ersten Tag.

Das bin ich auf diesem Bild.

Inhalt